\ JUJU KOREAN LEVEL 3 \

JUJU KOREAN LEVEL 3

발행	2024년 03월 08일
저자	JUJU
펴낸이	한건희
펴낸곳	주식회사 부크크
출판사등록	2014. 07. 15(제2014-16호)
주소	서울특별시 금천구 가산디지털1로 119 A동 305호
전화	1670-8316
E-mail	info@bookk.co.kr
ISBN	979-11-410-7568-2

www.bookk.co.kr

JUJU KOREAN LEVEL 3

JUJU 지음

BOOKK

Contents

A/V 았었/었었

The past tense (-았/-었/-했)

The past tense + already done (-았었/-었었/-했었)

Verb, Adjective

먹다 -> 먹었+다 (먹었+어요) -> 먹었+었다 (먹었었+**어요**)

가다 -> 갔+다 (갔+어요) -> 갔었+다 -> 갔었+었다 (갔었+**어요**)

공부하다 -> 공부했+다 (공부했+어요) -> 공부했+었다 (공부했었+**어요**)

행복하다 -> 행복했+다 (행복했+어요) -> 행복했+었다 (행복했었+**어요**)

예문 (Example sentence)

작년 크리스마스에는 눈이 왔**었어요.**

한국으로 여행을 갔는데 너무 행복했**었어요.**

A: 어렸을 때는 어땠어요?

B: 저는 어렸을 때 장난 꾸러기였었어요.

A: 정말요? 장난을 많이 쳤었어요?

B: 네, 친구들이랑 노는 것이 너무 좋았었어요.

A: 너무 귀여웠겠어요.

B: 그때가 그리워요.

A: 저도요.

V 는 김에

This grammar is used to do something else on the way to a planned action.

V 는 김(opportunity)에

(something that can be done at the same time)

Verb

(받침 O) 씻다 -> 씻+는 김에
(받침 X) 사다 -> 사+는 김에

예문 (Example sentence)

신발을 사는 김에 옷도 샀어요.
친구를 만나는 김에 같이 밥을 먹을 거예요.

A: 오늘 날씨가 참 좋네요.

B: 네, 정말 좋습니다.

A: 밖에 나가는 김에 산책을 해야 겠어요.

B: 그럼, 같이 산책하러 갈까요?

A: 네, 좋아요. 같이 가는 김에 공원에서 운동도 하고 올까요?

B: 그게 좋을 것 같아요.

V 는 길에

This grammar is used to do something else on the way to a planned action.

V 는 길(on the way)에

(use only moving verbs)

가다, 오다, 나가다, 나오다, 들어가다, 들어오다, 출근하다, 퇴근하다, 귀국하다, 출국하다 etc.

Verb

나가다 -> 나가+다 -> 나가+**는 길에**

귀국하다 -> 귀국하+다 -> 귀국하+**는 길에**

예문 (Example sentence)

들어오**는 길에** 우편함을 확인해 주세요.

서점에 가**는 길에** 한국어 교재도 같이 살 거예요.

A: 오늘 수업 후에 어디 갈까요?

B: 쇼핑 어때요?

A: 좋아요. 그럼 백화점에 가는 길에 잠깐 식당에 들릴까요?

배고파요.

B: 그래요. 그럼 먼저 밥을 먹고 나오는 길에 백화점에 가요.

A: 좋아요. 어서 가요.

어찌나[얼마나] A (으)ㄴ 지, 어찌나[얼마나] V 는지

This grammar is used when the reason for the result is too much.

Verb

(받침 O) 먹다 -> **어찌나[얼마나]** 먹+**는지**
(받침 X) 마시다 -> **어찌나[얼마나]** 마시+**는지**

Adjective

(받침 O) 좋다 -> **어찌나[얼마나]** 좋+**은지**
(받침 X) 바쁘다 -> **어찌나[얼마나]** 바쁘+**ㄴ 지** -> **어찌나** 바쁜**지**

예문 (Example sentence)

얼마나 맛있**는지** 삼계탕을 2그릇이나 먹었어요.
회사가 **어찌나** 바쁜**지** 점심도 못 먹을 정도예요.
어제 날씨가 **얼마나** 추웠**는지** 감기에 걸렸어요.

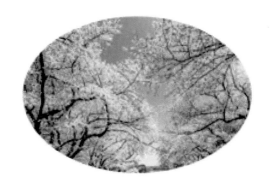

A: 어제 벚꽃이 어찌나 예뻤는지,

사진으로 다 담을 수가 없었어요.

B: 맞아요. 저도 잊지 못할 추억이 될 것 같아요.

A: 정말이지, 벚꽃이 얼마나 아름다운지

말로 표현할 수가 없었어요.

B: 네, 벚꽃을 보면서 얼마나 행복한 지 힐링이 되는 기분이었어요.

A: 다음에 또 기회가 되면 꼭 같이 벚꽃 보러 가요.

B: 좋아요, 다음에 또 만나요.

얼마나 A (으)ㄴ 지 모르다/ V 는지 모르다

This grammar is used to emphasize an action or situation.- (Explain that I know or have experience, sentence ending.)

Verb

(받침 O) 먹다 -> **얼마나 먹+는지 모르다**
(받침 X) 마시다 -> **얼마나 마시+는지 모르다**

*past – 먹다 -> 먹었+다 -> **얼마나 먹었+는지 모르다**

Adjective

(받침 O) 좋다 -> 얼마나 좋+은지 모르다
(받침 X) 바쁘다 -> 얼마나 바쁘+ㄴ 지 모르다 -> 얼마나 바쁜지 모르다

*past – 바쁘다 -> 바빴+다 -> 얼마나 바빴+는지 모르다

예문 (Example sentence)

물을 **얼마나** 많이 마시**는지 몰라요.**
삼계탕을 **얼마나** 많이 먹었**는지 몰라요.**
날씨가 **얼마나 좋은지 몰라요.**

A: 요즘 요리하는 것이 얼마나 재미있는지 몰라요.

B: 왜요?

A: 친구가 제가 만든 음식을 얼마나 잘 먹는지 몰라요.

B: 그랬군요. 어제는 무슨 음식을 만들었는데요?

A: 소고기뭇국이요.

B: 정말 맛있겠어요.

A: 네, 얼마나 맛있는지 몰라요.

B: 다음에 저도 초대해 주세요.

A: 그럼요, 꼭 오세요. 제가 요리해 드릴게요.

A/V (으)ㄹ 정도로, A/V (으)ㄹ 정도이다

This grammar is used to **compare and emphasize** an action or situation.

Verb , Adjective

입다 -> 입+을 **정도로** / 입+을 **정도이다**

마시다 -> 마시+ㄹ 정도로 -> 마실 **정도로** / 마시+ㄹ **정도이다** -> 마실 **정도예요**

모르다 -> 모르+ㄹ 정도로 -> 모를 **정도로** / 모르+ㄹ **정도이다** -> 모를 **정도예요**

예문 (Example sentence)

코트를 입을 **정도로** 추워요.

너무 추워서 코트를 입을 **정도예요**.

손이 아플 **정도로** 글씨를 썼어요.

A: 시험 공부 많이 했어요?

B: 네, 이번 시험에서 만점을 받을 정도로 열심히 했어요.

A: 정말요? 엄청 열심히 공부했군요.

B: 네, 잠도 잘 못 잤을 정도였어요.

A: 그래요. 시험 결과가 잘 나왔으면 좋겠어요.

A/V 고 해서

This grammar is used when the result is chosen from among many things.(a light expression)

Verb , Adjective

보고싶다, 바람이 불다. 비가 오다 ->
보고싶고 바람도 불고 비도 오+**고 해서** 전화 걸었어요.

주말이다, 날씨가 좋다 ->
주말이고, 날씨도 좋+**고 해서** 소풍을 가요.

예문 (Example sentence)

기분도 좋고, 날씨도 좋**고 해서** 산책하고 있어요.
숙제도 있**고 해서** 도서관에 가요.

A: 지금 뭐 해요?

B: 햇빛도 따뜻하고 바람도 시원하고 해서 산책해요.

A: 그래요? 정말 밖에서 산책하기에 딱 좋은 날씨인 것 같아요.

B: 맞아요. 산책하니까 배도 고프고 해서,

오늘은 밖에서 점심을 먹으려고 해요.

A: 좋은 생각이에요. 저도 같이 먹어요.

B: 네, 좋아요.

여간 A (으)ㄴ 는 것이 아니다,
여간 V는 것이 아니다,
여간 A/V 지 않다

This grammar is used to emphasize a situation.
formal , writing, sentence ending

Verb , Adjective

한국어를 잘하+다 ->
한국어를 **여간** 잘하+**는 것이 아니**에요. (= 한국어를 아주 잘해요.)

날씨가 좋+다 ->
날씨가 **여간** 좋+**은 것이 아니**에요. (= 날씨가 정말 좋아요.)

바쁘+다 ->
여간 바쁘+**지 않아요.** (= 아주 바쁘다.)

예문 (Example sentence)

한국에서 유학을 해서 한국어를 **여간** 잘하**는 것이 아니**에요.
날씨가 **여간** 좋**은 것이 아니**에요.

A: 오늘 날씨가 여간 좋은 것이 아니네요.

B: 네, 맞아요. 정말이지, 햇살도 따뜻하고,

바람도 솔솔 불고 너무 좋은데요.

A: 아리씨, 꽃들도 여간 예쁜 게(= 것이) 아니에요.

산책하기 딱 좋은 날씨네요.

B: 그래요. 우리 여기서 한참 걸어볼까요?

A: 좋아요.

제 4 과

N 은/는 A 다는 것이다[점이다],
N은,는 V ㄴ /는다는 것이다[점이다]

This grammar is used to describe the subject in detail.

Verb , Adjective

(나의 장점, 열심히 공부하다) ->
나의 장점+**은** 열심히 공부하+**ㄴ 다는 점이다.**

(한국 음식의 특징, 다양한 음식이 있다) ->
한국 음식의 특징+**은** 다양한 음식이 있+**다는 것이다.**

예문 (Example sentence)

나의 장점**은** 열심히 공부한**다는 점이다.**
제 친구의 장점**은** 다 잘 먹**는다는 것이에요.**
한국 음식의 특징**은** 다양한 음식이 있**다는 것입니다.**

A: 여러분, 이것의 이름은 무엇인가요?

B: 사과예요.

A: 네, 사과의 특징은 무엇인가요?

B: 사과의 특징은 빨갛다는 것이에요.

A: 그리고 또 다른 특징이 있어요?

B: 네, 사과의 특징은 맛있다는 점이에요.

A: 맞아요. 문법을 가지고 문장을 잘 만들었어요.

N (이)라고 (해서) 다 A(으)ㄴ / V 는 아니다

This grammar is used to talk about **differences from the general** idea of the subject.

Noun - 예문 (Example sentence)

(받침 O) 학생, 열심히 공부하다 ->
　　　　학생**+이라고 (해서) 다** 열심히 공부하**+는 것은 아니다.**

　　　　전교 1등, 항상 성적이 좋다 ->
　　　　전교 1등**+이라고 (해서)** 항상 성적이 좋**+은 것은 아니다.**

(받침 X) 김치, 매운 것은 아니다 ->
　　　　김치**+라고 (해서) 다** 매운(매우+ㄴ)**+ 것은 아니다.**

Verb - 예문 (Example sentence)

(받침O) 먹다 -> 많이 먹는**+다고 (해서)** 모두 살이 찌**+는 것은 아니에요.**
(받침X) 마시다 -> 커피를 마신**+ 다고 (해서) 다** 잠을 못 자**+는 것은 아니에요.**

Adjective - 예문 (Example sentence)

(받침 O) 좋다 -> 성격이 좋**+다고 (해서)** 함부로 대해도 되**+는 것은 아니에요.**
(받침 X) 바쁘다 -> 바쁘**+다고 (해서)** 밥을 안 먹어야 하**+는 것은 아니에요.**

A: 학생이라고 해서 다 매일 공부하는 것은(= 건) 아니에요.

B: 왜요? 학생은 공부만 하는 거 아니에요?

A: 공부도 중요하지만, 다른 일들도 중요하니까요.

예를 들어, 등록금이나 생활비를 위해서

아르바이트하는 학생들도 많아요.

B: 그래, 그렇죠. 일도 하면서 공부를 하려면 정말 바쁘겠어요.

A: 맞아요. 아르바이트라고 해서

짧은 시간만 일하는 것은 아니니까요.

B: 저는 돈도 중요하지만,

정말 하고 싶은 일을 하는 것도 중요하다고 생각해요.

A: 그래요, 우리 모두 열심히 해서

꼭 성공하는 사람이 되었으면 좋겠어요.

A 다는 것은 N 에서/ N(으)로 알 수 있다,
V ㄴ/는다는 것은 N에서/ N(으)로 알 수 있다

This grammar is used to say that information on a subject can be found from a situation or result that has already occurred.

Noun - 예문 (Example sentence)

(사람의 성격, 말하는 태도)
사람의 성격+**은** 그 사람이 말하는 **태도**+**에서** 알 수 있다.
사람의 성격+**은** 그 사람이 말하는 **태도**+**로 알 수 있다.**

Verb - 예문 (Example sentence)

(받침O) 먹는다 -> 많이 먹+**는다는 것은** 그 사람의 식단**으로 알 수 있다.**
(받침X) 운동을 하다 -> 운동을 많이 한+**다는 것은** 그 사람의 몸**에서 알 수 있습니다.**

Adjective - 예문 (Example sentence)

(받침O) 좋다 -> 날씨가 좋+**다는 것은** 일기예보**에서 알 수 있다.**
(받침X) 나쁘다 -> 기분이 나쁘+**다는 것은** 그 사람의 표정**으로 알 수 있다.**

A: 날씨가 춥다는 것을 어떻게 알 수 있나요?

B: 예를 들어, 날씨가 춥다는 것은

사람들의 옷차림으로 알 수 있습니다.

사람들은 춥다고 느낄 때 두꺼운 옷을 입기 때문입니다.

A: 그렇군요.

B: 또, 그 사람이 책을 많이 읽는다는 것은

사용하는 어휘에서 알 수 있습니다.

책을 많이 읽는 사람은 다양한 어휘를 알고 있기 때문입니다.

A: 이해가 되었습니다.

제 5 과

V (으)ㄹ 뻔하다

This grammar is used when a situation is likely to happen but does not actually happen.

Verb

(받침 O) 먹다 -> 먹+**을 뻔하다**
(받침 X) 마시다 -> 마시+**ㄹ 뻔하다**

예문 (Example sentence)

늦게 일어나서 버스를 놓칠 **뻔 했어요.** (놓치다)
지하철에서 졸다가 잘 못 내릴 **뻔 했어요.** (졸다, 내리다)

***

(V(으)ㄹ **뻔하다** a different expression)
'V (으)ㄹ **거예요**' used to say a guess using verbs and adjectives.
내일 날씨가 좋을까요?
네, 아마 좋을 거예요.

A: 지하철 타고 가는데, 갑자기 지하철이 멈췄어요.

B: 왜요? 사고인가요?

A: 아니요, 공사 중이었어요. 하마터면 지하철에서 내릴 뻔했어요.

B: 그래도 다행이에요. 지하철에서 내리면 걷는 거리가 멀어요.

A: 맞아요.

걷는 게 귀찮아서 지하철에서 내리지 않고 탔는데, 운이 좋았어요.

A/V (으)ㄹ 게 뻔하다

This grammar is used when you are sure.

(Use in a negative sense.)

Verb

(받침 O) 먹다 -> 먹+을 게 뻔하다

(받침 X) 마시다 -> 마시+ㄹ 게 뻔하다

Adjective

(받침 O) 좋다 -> 좋+을 게 뻔하다

(받침 X) 바쁘다 -> 바쁘+ㄹ 게 뻔하다

예문 (Example sentence)

시험 공부를 안 했으니까 성적이 안 좋을 게 뻔해요.

매일 새벽까지 넷플릭스를 보니까 아침에 늦게 일어날 게 뻔해요.

요즘 운동을 안 해서 근육이 없을 게 뻔해요.

A: 오늘은 날씨가 너무 좋네요.

B: 그래요. 봄이 오나 봐요.

A: 봄이 오면 벚꽃이 피겠죠?

B: 아, 벚꽃축제에 가면 좋겠어요.

A: 벚꽃축제에 가면 사람이 많을 게 뻔해요.

B: 그럼 벚꽃축제에 안 갈 거예요?

A: 갈 거예요. 같이 사진도 찍어요.

B: 좋아요. 벚꽃축제에 가면 다들 사진을 찍잖아요.

A: 그래요. 벚꽃 배경으로 사진을 찍을 게 뻔해요.

A/V (으)ㄹ 뿐만 아니라, N뿐만 아니라

There are two sentences.

The second sentence is added to the information of the first sentence.

(and also)

(Positive sentence + positive sentence / Negative sentence + negative sentence)

Verb

(받침 O) 먹다 -> 먹+**을 뿐만 아니라**

(받침 X) 마시다 -> 마시+**ㄹ 뿐만 아니라** -> 마실 **뿐만 아니라**

Adjective

(받침 O) 좋다 -> 좋+**을 뿐만 아니라**

(받침 X) 바쁘다 -> 바쁘+**ㄹ 뿐만 아니라**

Noun

(받침 O) 책 -> 책+**뿐만 아니라**

(받침 X) 아이패드 -> 아이패드+**뿐만 아니라**

예문 (Example sentence)

영어 강의를 들으면 **책 뿐만 아니라** 아이패드도 줘요.

산책을 하면 **건강 뿐만 아니라** 기분도 좋아져요.

A: 과일 중에서 어떤 과일이 제일 좋아요?

B: 저는 사과를 좋아해요. 달콤하면서도 상큼하잖아요.
민지씨는요?

A: 저는 사과뿐만 아니라 오렌지도 좋아해요.

B: 오렌지요? 왜요?

A: 오렌지는 사과보다 비타민 C가 더 많을 뿐만 아니라
영양도 풍부하잖아요.

B: 그건 몰랐어요. 오렌지를 더 먹어야 겠어요.

A/V 기는커녕, N은/는커녕

There are two sentences.
Two things that are impossible in the same situation.
(Use in a negative sentences, Informal)

Verb

(받침 O) 먹다 -> 먹+**기는커녕**
(받침 X) 마시다 -> 마시+**기는커녕**

Adjective

(받침 O) 좋다 -> 좋+**기는커녕**
(받침 X) 바쁘다 -> 바쁘+**기는커녕**

예문 (Example sentence)

너무 바빠서 **밥은 커녕** 커피도 못 마셔요.
날씨가 좋**기는커녕** 비가 와요.

*** a similar expression
밥을 먹어요. 빵도 먹었어요. (too)
밥뿐만 아니라 빵도 먹었어요. (and also)
밥은커녕 빵도 안 먹었어요. (impossible)

A: 오늘도 회의가 늦게 끝났네요.

B: 네, 오늘은 특히 많은 일이 있었어요.

A: 저도 저녁은 커녕 밥도 못 먹었어요.

B: 그래요? 그럼 제가 사다 줄게요.

A: 정말요? 감사합니다.

A 다기보다는, V ㄴ/는다기보다는

There are two sentences.

This grammar is used when you think the second example is more accurate than the first.

(The two sentences refer to similar situations, not opposite situations.)

Verb

(받침 O) 먹다 -> 먹+**는다기보다는**

(받침 X) 마시다 -> 마시+**ㄴ다기보다는** -> 마신**다기보다는**

Adjective

(받침 O) 좋다 -> 좋+**다기보다는**

(받침 X) 나쁘다 -> 나쁘+**다기보다는**

예문 (Example sentence)

많이 먹**는다기보다는** 먹는 것을 좋아해요.

공부를 한**다기보다는** 노는 것 같아요. 재미있게 공부해요.

A: 오늘 시험이었는데, 어땠어요?

B: 괜찮았어요. 그래도 조금 긴장했어요.

A: 뭐가 어려웠어요?

B: 어렵다기보다는 평소보다 어렵게 나왔던 것 같아요.

A: 그래요? 그래서 매운 떡볶이를 먹는 거예요?

B: 그래서 먹는다기보다는 매운 음식을 좋아해요.

A: 그래도 잘했잖아요. 다음 시험도 잘 볼 거예요.

B: 고마워요.

N 치고

This grammar is used to say that 'Noun' is all the same and tells the details.

Informal, Speaking style, negative

Noun

(받침 O) 한국 음식+**치고**
(받침 X) 김치+**치고**

예문 (Example sentence)

한국 음식**치고** 맛없은 음식을 못 봤어요.
김치**치고** 맵지 않는 것이 있을까요? - 물김치, 백김치는 안 매워요.

A: 오늘 날씨가 정말 좋네요.

B: 그래요. 겨울치고는 날씨가 너무 따뜻해요.

A: 그래요?

B: 눈이 내리고 있어도 바람이 안 불고, 햇살이 따뜻해요.

A: 그럼, 나가서 눈사람을 만들까요?

B: 좋아요. 눈오리도 만들어요.

A: 그래요, 재미있겠어요.

N (이)야 말로

This grammar is used to emphasize and explain 'noun' in detail.

Noun

(받침 O) 책+**이야말로**
(받침 X) 채소+**야말로**

예문 (Example sentence)

이 **책이야말로** 한국어를 쉽게 공부할 수 있는 책이에요.
채소야말로 건강에 좋은 음식이에요.

A: 오늘은 정말 피곤하네요.

B: 그래요? 왜요?

A: 아침부터 도서관에서 공부하고 있으니까요.

B: 그래도 공부 열심히 하고 있으니까

좋은 결과를 얻을 수 있을 거예요.

A: 맞아요. 공부 열심히 하는 사람이야 말로 성공할 수 있잖아요.

A: 그래도 가끔은 공부도 질릴 때가 있어요.

B: 알아요. 저도 그런 때가 있었어요.

그럴 때는 잠깐 쉬어가도 괜찮아요.

B: 맞아요, 잠깐의 휴식이야 말로 인생을 살아가는데

꼭 필요한 것 같아요.

N 마저

Also, too

N+도 (a positive sentence + a positive sentence/negative sentence + negative sentence)

N+까지 (a positive sentence + a positive sentence/negative sentence + negative sentence)

    - Use when there are no other remaining choices.

N+**마저** (negative sentence + negative sentence)

    - Use when there are no other remaining choices.

예문 (Example sentence)

밥을 먹고 빵도 먹고 과일도 먹었어요

밥을 먹고 하나 남은 빵까지 먹었어요.

밥도 없고 빵**마저** 없어요.

A: 하늘도 파랗고 햇살도 따뜻하네요.

B: 공원 가서 한가롭게 산책하기 딱 좋을 것 같아요.

A: 저도 그 생각했어요. 지금 같이 가요.

B: 좋아요.

A: 그런데, 공원에는 사람이 너무 많을 것 같아요.

B: 왜요?

A: 요즘 날씨가 좋아서 사람들이 다 밖에 나오잖아요.

B: 네, 그럴 수도 있겠네요.

A: 그래도, 커피숍에도 사람이 많은데
공원마저 사람이 많으면 좀 짜증나겠어요.

B: 그건 좀 그렇네요.

N 을/를 비롯해서(비롯한)

This grammar is used to say that there are many other things along with 'noun'.

("noun" uses the most representative one.)

Noun

(받침 O) 한라산+**을 비롯해서(비롯한)**
(받침 X) 회+**를 비롯해서(비롯한)**

예문 (Example sentence)

제주도는 한라산**을 비롯해서** 올레길이 유명해요.
서점에 가면 '주주 한국어'**를 비롯한** 좋은 한국어 책이 많이 있어요.

A: 오늘은 '자연'에 대해 배워볼까요?

B: 네, 좋아요!

A: 자연에는 나무를 비롯해서 꽃, 동물, 바다, 하늘 등등…
정말 다양한 것들이 있어요.

B: 정말요? 그럼 다 보여 주세요!

A: 네, 알겠습니다. 그럼 먼저 나무를 볼까요? 나무는 우리에게
산소를 비롯해서 그늘과 휴식 공간을 제공해 줘요.

B: 나무가 그렇게 좋은 역할을 하는군요.

A: 네, 그렇습니다. 자연에는 나무와 꽃을 비롯해서,
우리에게 많은 도움을 주는 것들이 있습니다. 오늘은 자연에 대해
조금 더 알아보았으니, 앞으로는 자연을 소중히 여기도록 해요.

B: 네, 알겠습니다.

A 다고 보다, V ㄴ/는다고 보다

This grammar is used to assert.

(a speaking style.)

Verb

(받침 O) 먹다 -> 먹+다 -> 먹+**는다고 보다**

(받침 X) 마시다 -> 마시+다 -> 마시+**ㄴ다고 보다** -> 마신**다고 보다**

Adjective

(받침 O) 좋다 -> 좋+다 -> 좋+**다고 보다**

(받침 X) 나쁘다 -> 나쁘+다-> 나쁘+**다고 보다**

예문 (Example sentence)

커피를 하루에 10잔을 마시는 것은 건강에 **나쁘다고 봐요.**

걷기는 건강에 **좋다고 봐요.**

A: 여기에서 연을 날리면 멀리 날아갈 거라고 봐요.

B: 예? 정말요? 한 번 해볼까요?

A: 아, 정말 멀리 날아갔네요. 잘했어요.

B: 우와, 재미있어요.

A/V 더라도

This grammar is used to say that it doesn't change what happens.
(**If** something happens A/V 더라도 + It doesn't change)

예문 (Example sentence)

음식이 맛있**더라도** 천천히 드세요.

날씨가 나쁘**더라도** 운동을 해야 돼요.

A: 오늘 날씨가 참 안 좋네요.

B: 날씨는 안 좋더라도 커피 한잔 하러 갈까요?

A: 네, 좋아요. 날씨가 나쁘더라도 맛있는 커피 한잔은
언제나 기분 좋아요.

B: 맞아요. 날씨가 좋으면 야외에서 햇살을 받으면서
커피를 마시면 더 좋지만, 실내에서 마시더라도
커피 한잔의 여유를 즐기는 것도 나쁘지 않아요.

A: 그래요. 오늘은 뭐 마실까요?

B: 전 카페모카요.

A: 그럼 전 아메리카노요.

제 9 과

V 아다(가)/어다(가)

This grammar is used to perform different actions using the outcome of one action.

(outcome of action 아다/어다 perform action.)

Move places.

Verb

사다 -> 사+요 -> 사+**다가**

만들다 -> 만들어+요 -> 만들어+**다가**

빌리다 -> 빌려+요 -> 빌려+**다가**

예문 (Example sentence)

케이크를 사**다가** 줬어요. (= 케이크를 샀어요. 줬어요.)

친구에게 맛있는 음식을 만들어**다가** 줬어요. (=음식을 만들었어요. 줬어요.)

A: 공원에서 뭐 하고 싶어요?

B: 집에서 도시락을 만들어다가 공원 벤치에 앉아서 먹고 싶어요.

그리고 책도 읽고 싶어요.

A: 그럼, 제가 도서관에서 책을 빌려다가 줄게요.

B: 네, 고마워요. 저는 커피를 사다가 줄게요.

V 다가는

This grammar is used to predict that something negative will happen **if you repeat an action.**
(**if you repeat an action 다가는** + something negative will happen, guess)

Verb

(먹다 -> 먹+**다가는**)
(마시다 -> 마시+**다가는**)

예문 (Example sentence)

매일 패스트푸드를 먹**다가는** 건강이 안 좋아질 거예요.

A: 어, 저기 떡볶이 파는 집이 있네요. 먹고 가요.

B: 네, 너무 맛있어요. 매일 이렇게 많이 먹다가는 살이 찌겠어요.

A: 다 먹고 운동하러 갈까요?

B: 좋아요. 근데 햄버거도 먹고 싶어요.

A: 오늘은 참아요.

B: 매일 패스트푸드를 먹다가는 건강이 안 좋아질 거예요.

A: 그래요... 아! 음식 냄새가 너무 좋아요.

B: 그럼 오늘까지만 먹을까요?

A: 그래요. 다이어트는 내일부터 해요.

V 다보면

This grammar is used to predict that something will happen **if you repeat an action.**

(if you repeat an action 다보면 + something **negative or positive** will happen,guess)

Verb

먹다 -> 먹+**다보면**

마시다 -> 마시+**다보면**

운동하다 -> 운동하+**다보면**

예문 (Example sentence)

매일 패스트푸드를 먹**다보면** 건강이 안 좋아질 거예요.

매일 운동을 하**다보면** 건강해 질 거예요.

A: 운동은 재미있어요?

B: 재미있어요. 근데 운동을 하다보면

힘들기도 하고, 지치기도 해요.

A: 맞아요. 근데 운동하다보면 몸도 건강해지고, 기분도 좋아져요.

B: 그러니까 운동을 계속하는 거 같아요.

A: 저도 그래요. 운동은 습관이 중요해요.

B: 맞아요. 꾸준히 하면 좋은 결과가 있을 거예요.

A: 그럼, 오늘도 열심히 운동해요!

B: 네, 같이 힘내요!

V 는대로, N 대로

This grammar is used to act the same way.

(Like something)

Verb, Noun

먹다 -> 먹+**는대로**

마시다 -> 마시+**는대로**

말하다 -> 말하+**는대로**

생각 -> 생각+**대로**

예문 (Example sentence)

제가 춤추**는 대로** 따라해 보세요.

헬스 트레이너가 말하**는대로** 운동했어요.

헬스 트레이너가 말**한 대로** 운동할 거예요. (말하다 -> 말하+ㄴ 대로 -> 말한 대로)-past

제가 먹**는대로** 먹어 보세요. (먹다 -> 먹+**는대로**)

제가 먹**은대로** 먹어 보세요 (먹다 -> 먹+은대로)-----past

레시피**대로** 음식을 만들어요.

A: 오늘이 요리 시험이네요.

B: 네, 걱정돼요.

A: 걱정하지 마세요. 잘 준비했다면 충분히 잘 볼 수 있을 거예요.

B: 네, 레시피대로 요리하면 잘 될 거예요.

A: 네, 맞아요.

V 다 보니까

This grammar is used to say that **something happened** after **repeating an action.**

Verb

먹다 -> 먹+**다 보니까**
마시다 -> 마시+**다 보니까**

예문 (Example sentence)

매운 음식을 자주 먹**다 보니까** 잘 먹게 되었어요.
컴퓨터를 오래 하**다 보니까** 눈이 침침해요.

A: 요즘 날씨가 정말 좋아요.

B: 그래요. 공원에 자주 오다 보니까 건강이 좋아졌어요.

A: 건강이요?

B: 네, 산책을 하다 보니까 기분이 좋아져요.

A: 그렇군요. 저도 공원에 자주 나와야 겠어요.

B: 좋은 생각이에요.

제 10 과

A/V (으)ㄹ 리(가) 없다

This grammar says impossible. (I don't believe it.)

Verb , Adjective

먹다 -> 먹+**을리가 없어요. (=있어요?)**
마시다 -> 마시+**ㄹ리가 없어요. (=있어요?)**

예문 (Example sentence)

여름인데 눈이 올**리가 있어요?** = 여름이니까 눈이 올**리가 없어요.**

A: 저기 저 사람 BTS 아니에요?

B: BTS요? BTS가 여기에 있을 리가 없어요.

A: 정말 닮은 사람 같아요.

B: 가까이 가 볼까요?

A: 그래요.

B: 아, 아니네요. 다른 사람이네요.

A: 그냥 닮은 사람이었어요.

B: 네, 맞아요. BTS가 여기에 있을 리가 있겠어요?

V (으)ㄹ 게 아니라

This grammar is used to ask for anything other than this.

Verb

먹다 -> 먹+**을 게 아니라**

마시다 -> 마시+**ㄹ 게 아니라**

예문 (Example sentence)

매일 약을 먹**을 게 아니라** 식단도 바꿔 보자.

매일 약**만** 먹**을 게 아니라** 운동도 같이 해 보세요.

책으로 공부**만** 할 **게 아니라** 한국 친구하고 이야기를 해 보는 게 어때요?

A: 공부 열심히 하고 있어?

B: 네, 열심히 하고 있어요.

A: 공부만 할 게 아니라 다른 것도 열심히 해야 해요.

B: 다른 것도요?

A: 예를 들어, 운동도 열심히 해야 해요. 건강을 위해서도 좋고, 스트레스도 풀 수 있잖아요.

B: 네, 알겠어요. 운동도 열심히 하겠습니다.

제 11 과

V (으)나 마나

This grammar is used when the result is the same what you do or don't do.

Verb

먹다 -> 먹+**으나 마나**
마시다 -> 마시+**나 마나**

예문 (Example sentence)

먹**으나 마나** 맛있을 거야.
보**나마나** 합격할 거예요.

A: 오늘 시험이잖아요. 준비 잘 됐어요?

B: 네, 정말 열심히 했어요.

A: 그래도 긴장되지 않아요?

B: 조금은 긴장되긴 해요.

그래도 제가 공부한 만큼은 나오겠죠. 뭐.

A: 맞아요. 리라씨라면 보나 마나 잘 할 거예요.

B: 고마워요. 민수씨도 시험 잘 보세요.

V 는 바람에

This grammar is used to speak of <mark>negative consequences.</mark>
Because

Verb

먹다 -> 먹+**는 바람에**
마시다 -> 마시+**는 바람에**

예문 (Example sentence)

밥을 먹다가 물을 쏟**는 바람에** 옷을 갈아입었어요.
갑자기 비가 오**는 바람에** 우산을 샀어요
어제 배탈이 나**는 바람에** 병원에 갔어요. (배탈이 난 바람에 (X), pre, past same)

A: 오늘 시험 잘 봤어요?

B: 아니요, 아쉽게도 망쳤어요.

A: 왜요? 공부를 열심히 했잖아요.

B: 네, 근데 시험장에 가는데 갑자기 비가 오는 바람에 옷이 다 젖었어요. 그래서 집중이 안 되어서 실수를 많이 했어요.

A: 그래요? 그랬군요. 정말 안 됐네요.

B: 그래도 다음 시험은 잘 볼 거예요.

A: 네, 파이팅!

제 12 화

V 기(가) 무섭게

This grammar is used to observe that someone does something else. (it's just finished.)

Informal, Speaking

예문 (Example sentence)

밥을 다 먹**기가** 무섭게 피자를 먹어요.

졸업을 하**기가** 무섭게 취직을 했어요.

기차에 타**기가** 무섭게 출발하네요.

A: 이제 기차 시간이 다 됐어요.

B: 그래요? 벌써요?

A: 맞아요. 기차역에 도착하기가 무섭게 시간이 빨리 가네요.

B: 정말 설레어요(= 설레요). 드디어 여행을 떠나니까요.

A: 저도 그래요. 이번 여행은 정말 기대돼요.

B: 그래요. 우리 좋은 추억 많이 만들어요.

A: 알았어요.

V 아/어 대다

This grammar is used to **observe** someone **repeating something.**
(It's too much - negative)
Informal
speaking

Verb

먹다 -> 먹어+요 -> 먹어+**대다**
마시다 -> 마셔+요 -> 마셔+**대다**
운동하다 -> 운동해+요 -> 운동해+**대다**

예문 (Example sentence)

친구가 너무 운동만 해**대**더니 병원에 갔어요.
설탕을 많이 먹어**대**서 충치가 생겼어요.

A: 오늘도 과자 먹어?

B: 네, 오늘은 초콜릿 과자랑 사탕을 먹고 있어요.

A: 그렇게 설탕을 많이 먹어대면 건강에 안 좋을 것 같아.

B: 알았어요, 엄마. 앞으로 설탕을 줄이도록 노력할게요.

A: 그래, 고마워.

A/V 기 마련

This grammar is used to say that an action or result is natural.
(a matter of everyday life)

예문 (Example sentence)

열심히 공부하면 성공하**기 마련이에요.**
신선한 음식은 건강에 좋**기 마련이에요.**

A: 요즘 회사에서 프로젝트 진행 어떻게 돼요?

B: 아직 초반이라서 잘 모르겠어요. 그래도 잘 될 것 같아요.

A: 그래요? 초반에는 아직 모르기 마련이죠.

대한씨가 하는 일은 다 잘 하잖아요.

B: 고마워요. 근데 걱정이 돼요.

막상 실무를 하려니까 막막하더라고요.

A: 그럴 수 있죠. 처음에는 다들 그래요. 걱정하지 마세요.

열심히 노력하면 분명히 성공하기 마련이니까요.

======= 대화문 영어 해설 =======

1

A: How was it when you were young?

B: I was a naughty boy when I was young.

A: Really? Did you joke around a lot?

B: Yes, I liked playing with my friends.

A: That must have been so cute.

B: I miss that time.

A: Me too.

2

A: The weather is so nice today.

B: Yes, that's great.

A: I should take a walk since I'm going outside.

B: Then, shall we go for a walk together?

A: Yes, that sounds good. Shall we exercise at the park while we're
   going together?

B: I think that would be good.

3

A: Where should we go after class today?

B: How about shopping?

A: Okay. Then should we stop by a restaurant on the way to the department store? I'm hungry.

B: Okay, then let's go to the department store on our way out after eating.

A: Okay. Let's go.

4

A: The cherry blossoms were so pretty yesterday that I couldn't thak a picture of them all.

B: That's right, I think it'll be an unforgettable memory for me.

A: I'm telling you, I couldn't describe how beautiful the cherry blossoms are.

B: Yes, I felt healed seeing the cherry blossoms.

A: Let's go see cherry blossoms together next time if we have a chance.

B: Sounds good, see you next time.

5

A: Cooking is so much fun these days.

B: Why?

A: My friend eats the food I made so well.

B: I see. What did you make yesterday?

A: Beef radish soup.

B: I think it's going to be really good.

A: Yes, it looks so delicious.

B: Please invite me next time.

A: Of course, please come. I'll cook for you.

6

A: Did you study a lot for the test?

B: Yes, I studied hard enough to get an ALL on this test.

A: Really? You studied really hard.

B: Yes. I couldn't even sleep well.

A: I see. I hope your test results come out well.

7

A: What are you doing now?

B: The sunlight is warm and the wind is cool, so let's take a walk.

A: Really? I think it's the perfect weather to take a walk outside.

B: That's right. I'm hungry because I'm taking a walk, so I'm going to have lunch outside today.

A: That's a good idea. Let's eat together.

B: Then, shall we go to the restaurant over there?

A: Yes, that sounds good.

8

A: The weather is so nice today.

B: Yes, that's right. It's really, the sunlight is warm and the wind is blowing. It's so nice

A: Ari, the flowers are pretty, too. It's a perfect day for a walk.

B: Okay. Shall we take a long walk here?

A: All right.

9

A: What's the name of this, everyone?

B: It's an apple.

A: Yes, what is the characteristics of apple?

B: The characteristic of apples is that they are red.

A: And is there any other characteristic?

B: Yes, the characteristics of apples are delicious.

A: That's right. we made a good sentence with this grammar.

10

A: Not all students study every day.

B: Why? Aren't you only studying?

A: Studying is important, but other things are also important.
For example, there are college students who work part-time for tuition or living expenses.

B: Yes, that's right. Students must be really busy to work and study.

A: That's right. A part-time job doesn't mean that students work only for a short time.

B: I think money is important, but doing what you really want to do is also important.

A: Yes, I hope we all work hard and become successful people.

11

A: How can I know that the weather is cold?

B: For example, the cold weather can be seen by people's clothes. This is because people wear thick clothes when they feel cold.

A: I see.

B: Also, the fact that he reads a lot can be seen from the vocabulary he uses. People who read a lot know various vocabulary words.

A: I understand.

12

A: I was taking the subway, but it suddenly stopped.

B: Why? Is it an accident?

A: No, it was under construction. I almost got off the subway.

B: That's a relief, though. You have to walk for a long time when you get off the subway.

A: Right. I didn't get off the subway because I was lazy to walk, and I was lucky.

13

A: The weather is so nice today.

B: Yes, spring is coming.

A: Cherry blossoms will bloom when spring comes, right?

B: Oh, I hope I can go to the cherry blossom festival.

A: It's obvious that there will be a lot of people at the cherry blossom festival.

B: Then are you not going to the cherry blossom festival?

A: I'll go. Let's take a picture together.

B: Sounds good. Everyone takes pictures during the cherry blossom festival.

A: That's right. I'm sure everyone will take a picture with the cherry blossoms in the background.

14

A: Which fruit do you like the most?

B: I like apples. It's sweet and fresh at the same time. What about you, Minji?

A: I like oranges as well as apples

B: Orange? Why?

A: Not only are oranges more vitamin C than apples, but they are also nutritious.

B: I didn't know that. I should eat more orange.

15

A: The meeting ended late again today.

B: Yes, especially today, so many things happened.

A: I didn't eat anything, not to mention dinner.

B: Really? Then I'll buy it for you.

A: Thank you so much.

16.

A: How was the test today?

B: It's okay. But I was a little nervous.

A: What was difficult about it?

B: It's not difficult, but I think it came out harder than usual.

A: Really? Is that why you eat spicy tteokbokki?

B: It's not that reason, but I like spicy food.

A: But you did well. I hope you do well on your next test.

B: Thank you.

17

A: The weather is really nice today.

B: Yes. The weather is too warm for the winter.

A: Is that so?

B: Even if it's snowing, it's not windy, and the sun is warm.

A: Then, shall we go out and make a snowman?

B: Sounds good. We also make snow ducks.

A: Sure, that sounds fun.

18

A: I'm really tired today.

B: Really? Why?

A: I've been studying in the library since this morning.

B: But you'll get a good result because you're studying hard.

A: That's right. People who study hard can succeed with words.

B: But sometimes I get tired of studying.

A: I know. That happened to me too. In that case, you can take a break.

B: That's right, I think a short break is essential to living your life.

19

A: The sky is blue and the sunlight is warm.

B: I think it would be perfect for a leisurely walk in the park.

A: I thought so too. Let's go together now.

B: Sounds good.

A: By the way, I think there will be too many people in the park.

B: Why?

A: The weather is nice these days, so everyone comes out.

B: Yes, that's possible.

A: But it'll be annoying if the coffee shop is crowded and the park is crowded.

B: That's too much.

20

A: Shall we learn about 'nature' today?

B: Yes, that's great!

A: There are so many different things in nature, including trees, flowers, animals, the sea, the sky, and so on.

B: Really? Then show me everything!

A: Yes, sir. Then shall we look at the trees first?

B: Trees provide us with shade and rest areas, including oxygen.

A: Trees play such a good role.

B: Yes, it is. There are many things in nature that help us, including trees and flowers. Now that we learned a little more about nature, let's cherish it from now on.

A: Yes, sir.

21

A: I think if you fly a kite here, it will fly far away.

B: Oh? Really? Should I try it?

A : Oh, it flew so far. Good job.

B: Wow, it's fun.

22

A: The weather is really bad today.

B: Shall we go for a cup of coffee even if the weather is bad?

A: Yes, good. A cup of delicious coffee even if the weather is bad
I always feel good.

B: That's right. If the weather is nice, we can enjoy the sun outside
I like to drink coffee, but even if I drink it indoors It doesn't hurt if I
enjoy a cup of coffee.

A: Yes. What should we drink today?

B: I'd like a cafe mocha.

A: Then I'll have an americano.

23

A: What do you want to do at the park?

B: I want to make lunch boxes at home and sit on the park bench and eat them. And I also want to read a book.

A: Then, I'll lend you a book from the library.

B: Yes, thank you. I'll buy coffee and give it to you.

24

A: Oh, there's a restaurant that sells tteokbokki. Let's eat.

B: Yes, it's so delicious. I'm going to gain weight if I eat this much every day.

A: Shall we go exercise after we're done?

B: Good. But I want to eat hamburgers, too.

A: put up with it today.

B: If you eat fast food every day, your health will deteriorate.

A: Yes··· Oh! The food smells so good.

B: Then shall we eat until today?

A: Okay. I'm going on a diet from tomorrow.

25

A: Are you having fun working out?

B: It's fun. But exercising can be hard and tiring.

A: Right. But exercising makes your body healthy and you feel better.

B: I think that's why I keep exercising.

A: Me too. Habits are important when it comes to exercise.

B: That's right. If you keep going, you'll get good results.

A: Of course, let's work out hard today!

B: Yeah, let's cheer up together!

26

A: I have a cooking test today.

B: Yes, I'm worried.

A: Don't worry. You'll be able to see it well if you prepare it well.

B: yes. If I follow my recipe, it will be fine.

A: Yes, that's right.

27

A: The weather is really nice these days.

B: Yes, I came to the park often and my health got better.

A: Health?

B: Yes, taking a walk makes me feel better.

A: I see. I should come to the park often.

B: That's a good idea.

28

A: Isn't that BTS?

B: BTS? BTS can't be here.

A: I think he really looks like him.

B: Shall we go closer?

A: I see.

B: Oh, no. It's a different person.

A: I just looked like him.

B: Yes, that's right. How can BTS be here?

29

A: Are you studying hard?

B: Yeah, I'm working hard.

A: Not only do you have to study, but you also have to work hard on other things.

B: Anything else?

A: For example, you should exercise hard. Exercise is good for your health and can relieve stress.

B: Okay. I'll work out hard, too.

30

A: Today is a test. Are you ready?

B: Yes, I worked really hard.

A: But aren't you nervous?

B: I'm a little nervous. But I'm sure I'll get as much as I studied.

A: That's right. I'm sure you'll do well because you are Lira (it's you.)

B: Thank you. Good luck on your test, Minsu.

31

A: Did you do well on your test today?

B: No, unfortunately, I ruined everything.

A: Why? You studied hard.

B: Yes, but it suddenly rained, so my clothes got all wet when I went to the test site. So I made a lot of mistakes because I couldn't concentrate.

A: Really? I see. I'm sorry to hear that.

B: But I'll do well on the next test.

A: Yes, fighting!

32

A: It's almost time for the train.

B: Really? Already?

A: That's right. Time goes by as fast as possible to get to the train station.

B: I'm excited. I'm finally going on a trip.

A: Me too. I'm really looking forward to this trip.

B: Okay, Let's make a lot of good memories.

A: I see.

33

A: Are you eating snacks again today?

B: Yes, I'm eating chocolate snacks and candy today.

A: I don't think eating that much sugar will be good for your health.

B: Okay, mom. I'll try to reduce sugar in the future.

A: Yes, thank you.

34

A: How is the project going at work these days?

B: I'm not sure because it's still in the beginning. But I think it'll work out well.

A: Really? We don't know at the beginning yet. Daehan is good at everything he does.

B: Thank you. But I'm worried. But I don't know what to do because I'm working on it.

A: That's possible. Everyone is like that at first. Don't worry. If you work hard, you will definitely succeed.